LES JUS DE FRUITS
SANTE ET DELICES

Chantecler

Cette édition par: Chantecler, Belgique-France
Traduction française de Monique Lesceux.
D-MCMXCV-0001-53

TABLE DES MATIERES

INTRODUCTION

Tout le monde sait que les fruits sont bons pour la santé. Les fruits de nos régions comme les fruits exotiques nous apportent des vitamines, des minéraux et des fibres. Les fruits apportent de l'énergie et débarrassent le corps des toxines. Un verre de jus de fruits frais, bu à jeun, vous apporte un regain d'énergie.

Les fruits frais peuvent se consommer sur le pouce ou en salade, mais vous pouvez aussi en faire du jus.

De plus, ils apportent encore un avantage supplémentaire. Lorsque nous consommons des fruits frais, notre corps en retire les substances nutritives sous forme de jus. Les fibres qui restent sont ensuite rejetées par le corps. Tout ce processus de digestion demande pas mal de temps et d'énergie, et l'on peut faciliter l'opération en buvant du jus. Grâce à l'emploi d'une centrifugeuse, l'on a pu retirer tous les éléments nutritifs des fruits.

Lorsque l'on boit du jus frais, 95 % des substances vitales du jus passent directement dans le sang. Les vitamines et les sels minéraux, deux éléments essentiels d'une alimentation saine, peuvent agir immédiatement, sans qu'il n'y ait aucune perte.

Lorsque vous choisissez les sortes de fruits pour en faire du jus, il est important de varier. Si vous êtes malade ou que vous souffrez de quelque affection, il faut tenir compte des matières nutritives contenues dans chaque fruit. C'est pourquoi vous trouverez pour chaque recette les éléments nutritifs des différents ingrédients.

UN NOUVEL ART DE VIVRE

Pour retirer la beauté et la santé des jus de fruits, il ne faut pas seulement changer ses habitudes alimentaires, mais aussi sa manière de vivre.

DE NOUVELLES HABITUDES ALIMENTAIRES

Le fait de boire des jus de fruits fraîchement préparés procure à votre corps les vitamines, sels minéraux et fibres dont il a besoin pour rester en bonne santé.

Il est évident que les fruits forment la base idéale d'un régime diététique.

Ne buvez pas uniquement les jus parce que vous avez soif, mais bien parce qu'ils sont nécessaires à votre corps. Ne regardez pas votre montre pour savoir quand il faut préparer le repas, mais essayez d'avoir toujours une réserve de fruits et prenez l'habitude de boire régulièrement un verre de jus frais, dans la journée, quand vous en avez envie.

Il ne faut pas pour cela changer radicalement vos habitudes alimentaires, votre corps ne serait pas d'accord et protesterait certainement. Il faut y aller progressivement pour arriver finalement à une alimentation composée de nombreux fruits et légumes crus.

Il ne faut pas non plus jeter toutes les casseroles et faire le vide autour de la centrifugeuse. Savourez tranquillement un plat cuisiné, un rôti ou des œufs. Mais buvez simultanément les jus nécessaires pour que votre corps reçoive toutes les substances dont il a besoin et qui ne se trouveraient pas dans ces plats "cuisinés". Sans oublier l'élimination des déchets.

LES REPAS

Choisissez le plus grand nombre de produits naturels possible. Des noix par exemple, que l'on peut incorporer à de nombreuses petites salades et à des aliments composés de céréales : du pain complet, des crackers, du riz complet...
Il est préférable de prendre 4 à 5 petits repas répartis sur la journée que 2 ou 3 repas copieux. Le repas du soir doit être léger. Si vous éprouvez une sensation de faim le soir, en regardant la télévision par exemple, mangez alors un fruit qui est un aliment digeste pour que votre corps soit au repos pendant la nuit et ne doive pas dépenser de l'énergie pour digérer des chips, des biscuits ou des glaces.

LES AUTRES BOISSONS

Si vous buvez beaucoup de jus de fruits, vous n'aurez probablement plus envie d'autres boissons. Vous aurez néanmoins peut-être envie parfois de goûter autre chose.
Si vous voulez vivre sainement, il faut éviter les boissons qui contiennent de la caféine ou de l'alcool. L'alcool attaque le foie et empêche le bon fonctionnement du cœur, augmente la tension artérielle et le taux de cholestérol, et provoque une accoutumance. Le café et le thé (à l'exception des tisanes) contiennent de la caféine qui est à l'origine de maux de tête, de nausées, d'insomnie et d'une élévation du taux de cholestérol.
L'eau est un produit naturel, mais il faut qu'elle vienne directement d'une source et non pas via les canalisations, car cette eau-là a été traitée avec différents produits. Si vous désirez boire un verre d'eau, prenez de l'eau de source ou de l'eau minérale. Mais n'oubliez pas que les jus de fruits (et aussi de légumes!) contiennent aussi énormément d'eau.

UN PEU DE MOUVEMENT

Peu importe le nombre de verres de jus que vous buvez, ils ne seront efficaces que si vous faites chaque jour quelques exercices physiques. Faites chaque jour une bonne promenade ou une balade à vélo, ou quelques longueurs dans la piscine, faites du sport, seul ou en équipe. En vous donnant du mouvement, vous augmentez la consommation d'énergie et les réserves de graisse sont entamées ou éliminées. De cette manière, vous provoquez aussi un amaigrissement.

CONSEILS PRATIQUES POUR MAIGRIR

1. Commencez la journée en buvant à jeun un verre de jus de fruits. Cela vous donnera un regain d'énergie.
2. Veillez à avoir une corbeille de fruits variée. Si vous avez un petit creux, prenez un fruit.
3. Essayez de vous occuper toute la journée, aussi bien physiquement qu'intellectuellement. Vous penserez de ce fait beaucoup moins à votre estomac.
4. Mangez lentement en mâchant bien. Soyez conscient de manger. Manger est un art!
5. Consommez suffisamment d'aliments riches en fibres, car ils vous donnent un sentiment de satiété.

Remarque: Si vous souffrez réellement d'une importante surcharge de poids et que vous devez maigrir pour des raisons médicales, n'expérimentez jamais sur vous-même des régimes amaigrissants. Il faut dans ce cas consulter un diététicien qui prescrira un régime bien précis, adapté à votre cas et qui continuera à vous conseiller et à suivre votre évolution.

LA SANTE PAR LES JUS

Les vitamines et les minéraux sont des éléments essentiels au bon fonctionnement de notre organisme, et une carence peut causer un affaiblissement général et même mener à des maladies. Heureusement, les fruits en contiennent de grandes quantités qui permettent de pallier à ces effets. Le fait de consommer les fruits sous forme de jus permet aux sels minéraux et aux vitamines de passer directement dans le sang et donc dans les cellules qui en ont le plus besoin.

Ce chapitre passe en revue les différents éléments nutritifs, c'est-à-dire les vitamines, les sels minéraux et les fibres que l'on trouve dans les fruits de nos régions et dans les fruits tropicaux.

VITAMINES

Les vitamines ont un rôle essentiel à jouer pour notre santé; le latin "vita" signifie "vie"! Mais comme le corps est incapable de les fabriquer lui-même en quantité nécessaire, il doit les trouver dans la nourriture et le soleil.

Les vitamines sont généralement divisées en deux groupes: les vitamines solubles dans l'eau et celles solubles dans la graisse.

Les vitamines solubles dans la graisse sont stockées dans l'organisme pour être libérées quand c'est nécessaire. Les vitamines A, D, E et K font partie de ce groupe. Les vitamines solubles dans l'eau ne sont pas stockées dans l'organisme et il faut donc en consommer quotidiennement pour en avoir la quantité nécessaire. Les vitamines C et celle du complexe B font partie de ce groupe.

On a pris l'habitude de désigner les vitamines par une lettre. Cette habitude a été prise parce que la composition chimique de ces vitamines est restée longtemps inconnue.

Vitamine A

Cette vitamine se trouve sous deux formes : la vitamine A (rétinol) et la provitamine A (carotène). Le carotène se transforme dans le corps en vitamine A.

Les vitamines A augmentent la résistance aux infections, améliorent la vue (empêchent la cécité nocturne), protègent du cancer du poumon, de la gorge, de l'œsophage et de la vessie, rendent la peau et les cheveux sains, et donnent du tonus au corps entier.

OU LA TROUVER : le rétinol se trouve surtout dans les produits provenant d'animaux comme le foie et les produits laitiers. Le carotène est surtout présent dans les abricots, le chou frisé, le persil, les épinards, la tomate et les carottes....

Vitamines du complexe B

Ce groupe est composé de plus de 20 vitamines qui interagissent. Il est important que les vitamines B1, B2 et B6 soient consommées en quantités plus ou moins égales. Elles sont décrites en détail ci-dessous:

Vitamine B1 (thiamine)

La vitamine B1 favorise la croissance et le développement. Elle transforme le sucre contenu dans le sang en énergie et permet de contrôler le diabète. Elle contribue au bon fonctionnement du cœur, des muscles et du système nerveux. Elle est aussi importante dans le traitement de l'anémie.

L'abus d'alcool peut conduire à une carence en vitamine B1 avec comme conséquence des maladies de l'estomac et de l'intestin.

OU LA TROUVER : dans beaucoup de fruits et de légumes, mais surtout dans les légumineuses, dans les fibres des céréales (pain complet!), dans les graines, les noix, la viande, le poisson et les œufs.

Vitamine B2 (riboflavine)

La vitamine B2 est surtout active dans le métabolisme des hydrates de carbone, des protéines et des graisses, et elle libère l'énergie contenue dans les aliments. Elle protège également de l'anémie et de certaines formes de cancer.
OU LA TROUVER : dans les mêmes aliments que la vitamine B1.

Vitamine B6 (pyridoxine)

La vitamine B6 s'occupe du métabolisme des protéines et du bon fonctionnement des cellules corporelles. Elle joue un rôle important dans la production des anti-corps et des globules rouges.
OU LA TROUVER : dans la viande, le lait, les œufs, les légumes (surtout dans le persil et les différentes sortes de chou) et, dans une moindre mesure, dans les fruits (surtout les bananes).

Vitamine C (acide ascorbique)

La vitamine C est importante pour la construction du système immunitaire, pour la croissance et la reconstruction des fibres (guérison de plaies) et le fonctionnement des vaisseaux sanguins. Comme la vitamine C influence l'absorption du fer par le corps, elle peut jouer un rôle préventif dans le cas d'anémie. Elle permet aussi de diminuer le taux de cholestérol dans le sang.
OU LA TROUVER : dans les légumes (surtout dans les différentes sortes de chou et dans le persil) et dans les fruits (surtout dans les fraises, les agrumes, les kiwis et les papayes).
Les légumes crus et les fruits frais contiennent plus de vitamine C que les légumes cuits et les conserves de fruits.

Vitamine D

La vitamine D est produite par la peau sous l'influence du soleil. C'est surtout dans les villes qu'un manque de vitamine D peut apparaître, sous l'influence de l'air pollué.
OU LA TROUVER : dans l'huile de foie de morue, le lait, le beurre et le jaune d'œuf.

Vitamine E

La vitamine E est, comme d'autres, stockée dans le foie. Elle renforce l'efficacité de la vitamine A.
Elle protège de l'oxydation et agit comme anticoagulant. Elle est donc fort importante dans la guérison de plaies (et de brûlures) et empêche la formation de cicatrices. Elle ralentit le processus de vieillissement et protège le corps de certains effets nocifs de la pollution.
OU LA TROUVER : dans les huiles végétales (les noix), les germes de blé, les légumes verts (également dans les asperges, les carottes), les kiwis...

Vitamine K

La vitamine K favorise la coagulation du sang et renforce le système osseux. Elle favorise la guérison de fractures et empêche les hémorragies internes.
OU LA TROUVER : dans les légumes verts.

SELS MINERAUX

Les sels minéraux sont nécessaires au développement et à la santé du corps. Ce sont des substances non organiques que les plantes retirent directement de la terre, et qui sont ensuite assimilées par le corps humain.

Les sels minéraux constituent non seulement les bases de la terre mais de tout être vivant. Le corps humain contient des acides aminés, du calcium, du chlore, du phosphore, de l'or, du fer, de l'iode, du potassium, du cobalt, du cuivre, du plomb, du magnésium, du manganèse, du sodium, du nickel, du silicium, de l'argent et du soufre. Quand le corps ne contient pas assez de sels minéraux, ni même de résidus de ces sels minéraux, cela peut favoriser l'apparition de plusieurs maladies.

On a déjà pu déterminer la façon dont certains de ces éléments agissent dans notre corps et influencent notre santé, mais il reste encore beaucoup de choses à découvrir dans ce domaine.

Calcium

Le calcium est un sel minéral très important, surtout pour les enfants en période de croissance et pour les femmes. C'est le minéral que l'on rencontre en plus grosse quantité dans le corps. Il est nécessaire pour la formation du squelette et prévient l'ostéoporose (décalcification).

Il régularise également les battements cardiaques et améliore la coagulation du sang. Il joue un rôle dans la digestion des lipides et des protéines.

Le calcium ne peut être assimilé que lorsque le corps contient assez de vitamine D.

OU LE TROUVER : les produits laitiers forment certainement la plus grande source de calcium, mais les fruits et les légumes en contiennent également, notamment les mandarines et les oranges, les abricots et les ananas, les raisins, le céleri-rave, le chou frisé, les épinards, le fenouil, le pourpier...

Fer

Le fer est un composant de l'hémoglobine, la substance rouge du sang qui transporte l'oxygène jusqu'aux cellules du corps.

Le fer stimule le système immunitaire et procure au corps l'énergie nécessaire pour fonctionner. L'anémie s'installe lorsque la quantité de fer contenue dans le corps devient insuffisante, et elle se manifeste par une fatigue physique et intellectuelle.

OU LE TROUVER : les fruits (surtout dans les baies et les mûres) et les légumes. Aussi dans le jaune d'œuf et la viande.

Magnésium

Chaque cellule du corps humain a besoin de magnésium pour pouvoir fonctionner correctement. Le magnésium est particulièrement important pour la transmission des stimuli nerveux, le fonctionnement des muscles (le cœur est aussi un muscle), le métabolisme et en association avec le calcium, la formation du squelette.

OU LE TROUVER : les légumes verts (surtout le persil et les poivrons), le pain, le fromage, la viande, le poisson et le lait.

Phosphore

Joint au calcium, il est responsable d'un bon squelette osseux et de dents solides. Il renforce les ongles et les cheveux, combat la fatigue, régularise la température corporelle et favorise la croissance et la reconstitution des tissus corporels.

OU LE TROUVER : principalement les légumineuses, le pain complet, les noix, les produits laitiers. Aussi dans les fruits (surtout les kiwis) et dans les légumes (dans les différentes sortes de choux et les épinards).

Potassium

En combinaison avec le sel, le potassium permet au corps de maintenir un bon degré d'humidité. Et le besoin en potassium du corps est directement proportionnel à la quantité de sodium absorbée notamment sous forme de sel de cuisine. Un bon équilibre entre ces deux éléments régularise les battements du cœur et les contractions musculaires et favorise l'élimination des toxines, avec comme résultat visible une peau saine et nette.

OU LE TROUVER: les fruits (dans les kiwis, bananes et abricots) et les légumes. Et aussi dans les noix.

Sodium

Notre corps est composé à 70% d'eau salée. Il est donc évident que le sel organique (sodium) est un élément vital. Il agit en association avec le potassium, mais la collaboration n'est réelle et efficace que lorsque les deux éléments sont présents de manière équilibrée (voir potassium). Le sel organique n'a rien à voir avec le sel de cuisine (chlorure de sodium) qui peut, lui, détruire rapidement le fragile équilibre naturel sodium-potassium et peut provoquer des problèmes rénaux et de la vessie, une tension artérielle trop élevée et des affections cardiaques.

OU LE TROUVER: le sel de cuisine est la principale source de sodium. Et il est également présent dans beaucoup d'aliments.

En règle générale, les aliments d'origine animale sont plus salés que les aliments végétaux.

RESIDUS MINERAUX

Le chapitre précédent a recensé les principaux sels minéraux. Les autres ne doivent être présents dans notre corps qu'en quantité infinitésimale. C'est pourquoi on les appelle des résidus minéraux. Si l'on suit un régime équilibré et varié contenant des fruits et légumes frais, les besoins sont largement couverts.

FIBRES

Grâce aux jus de fruits, l'on peut absorber de manière très économique et rapide une grande quantité de substances nutritives importantes pour la santé. Les fruits apportent au corps de l'énergie et le purifient.

Un fruit est plus rapidement digéré que des légumes – environ 20 minutes – et constitue également une très grande source de fibres.

Durant le processus de digestion, notre corps retire des aliments que nous venons de manger les vitamines et les sels minéraux dont il a besoin, et cela sous la forme de liquide. Ce qu'il reste des aliments, c'est ce que l'on appelle les fibres et elles sont évacuées du corps.

Lorsque toutes les substances nutritives ont été retirées de ces fibres, elles ont une seconde fonction qui est de stimuler les intestins, pour rassembler tous les déchets qui seront ensuite évacués, mais aussi de nettoyer l'intestin et d'aider à l'absorption de la vitamine D. Si l'on consomme beaucoup d'aliments riches en fibres, l'on évitera les problèmes liés à la constipation et aux coliques.

Les fruits contiennent beaucoup de fibres, surtout s'ils ne sont pas pelés. Si en plus de votre ration quotidienne de jus de fruits, vous déjeunez d'un fruit et que vous consommez dans le courant de la journée des fruits frais, des légumineuses, des dattes, des figues, il est évident que votre corps a reçu assez de fibres pour pouvoir mener la digestion à bon terme.

OU LES TROUVER : les haricots secs, le maïs, les petits pois, les épinards, les choux de Bruxelles, les pommes de terre, les dattes, les figues, les raisins, les bananes, les abricots, les prunes, les pommes, les poires et les oranges.

LES JUS DE FRUITS

LA CENTRIFUGEUSE

La centrifugeuse permet de retirer le jus des fruits sans que ceux-ci soient chauffés au préalable. Ce qui permet de conserver toutes les substances nutritives qu'ils contiennent. La centrifugeuse fait tourner les fruits à grande vitesse; ils sont pulvérisés et le jus en est extrait. Ce jus est récolté dans un verre ou un récipient. Les parties solides qui restent - la pulpe - sont éjectées par un autre orifice et atterrissent dans un container à pulpe.

La centrifugeuse mérite une place de choix dans la cuisine, avec suffisamment d'espace autour pour pouvoir travailler facilement et située non loin de l'évier. Vous vous épargnerez beaucoup de peine si vous pouvez nettoyer l'appareil immédiatement après l'avoir employé, cela évite à la pulpe de durcir et de rester collée.

Cela ne veut pas non plus dire qu'il faut absolument nettoyer l'appareil après chaque usage. Si vous vous préparez un verre de jus de pomme, un jus d'ananas pour votre compagnon et un mélange de fruits pour vos enfants, vous pouvez évidemment les réaliser l'un après l'autre, sans nettoyer l'appareil.

L'ACHAT ET LA CONSERVATION DES FRUITS

Si l'on veut boire beaucoup de jus, il faut naturellement avoir une bonne réserve de fruits chez soi. Il n'est pas nécessaire de faire une petite liste si vous faites vos achats de manière intelligente. Achetez les fruits de saison, sans oublier les pommes et les carottes qui sont à la base de beaucoup de sortes de jus.

Pour réaliser un jus, il suffit d'utiliser ce que vous avez à la maison. Si la recette parle de 2 pommes et qu'il ne vous en reste qu'une seule, remplacez-la par autre chose.

Des pages 60 à 68 du lexique, vous trouverez, pour chaque sorte de fruits, des conseils en rapport avec leur achat et leur conservation.

TRUCS UTILES

1. Achetez la quantité nécessaire pour une semaine au maximum.
2. Choisissez autant que possible des fruits de saison. Ils sont non seulement meilleur marché, mais aussi plus frais parce qu'ils sont consommés et vendus en grosses quantités.
3. Achetez les fruits dont vous faites une grande consommation, comme des pommes et des oranges en grosses quantités. Ils seront souvent moins chers et vous risquez moins d'en manquer.
4. Des fruits trop mûrs ne conviennent pas pour les jus. Ils donnent moins de jus et fermenteront plus rapidement.
5. Choisissez de préférence des fruits de culture biologique. C'est particulièrement important si vous ne devez pas les peler, et c'est d'ailleurs sous la peau que se trouve la plus grosse quantité de vitamines et de sels minéraux.
6. Lavez et séchez les fruits dès que vous arrivez chez vous et conservez-les ensuite comme indiqué dans le lexique (p. 60 à 68). Si vous suivez ces quelques conseils, il vous sera très facile de préparer un verre de jus.
7. Si vous possédez un jardin, même minuscule, essayez de cultiver le plus de fruits possible. Sans apport de produits chimiques bien sûr.

COMMENT OBTENIR DU JUS

Lorsque votre centrifugeuse est installée et que les fruits sont lavés et prêts à l'emploi, il suffit de quelques instants pour obtenir un verre de jus plein de vitamines. Coupez les fruits en morceaux de même taille, poussez-les dans l'ouverture de la centrifugeuse, récoltez le jus et buvez!

QUELQUES CONSEILS

1. Travaillez le plus possible avec des fruits non pelés, car c'est la pelure qui contient le plus de vitamines et de sels minéraux. Ceci n'est pas vrai pour des aliments avec une peau épaisse comme les oranges ou les ananas. Lorsque vous les pelez, enlevez le minimum de pelure possible.

2. Retirez au préalable les pépins et les noyaux. Même les pépins de pommes doivent être ôtés car ils sont indigestes.

3. Débitez les fruits en petits morceaux pour qu'ils entrent bien dans la machine.

4. Ce sera plus facile si vous commencez et terminez l'opération par les ingrédients "durs" comme les pommes.

5. Si vous employez des raisins, il n'est pas nécessaire d'enlever les petites tiges vertes, du moins s'il s'agit de raisins de culture biologique.

6. Il vaut mieux consommer le jus dès qu'il est préparé. Si vous désirez le conserver quelques heures, mettez-le au réfrigérateur.

7. Vous pouvez également surgeler des jus. Ce système est avantageux pour des fruits que l'on ne trouve que pendant une courte période.

Boisson à l'ananas

C'est la boisson par excellence pour éliminer toutes les petites douleurs. De l'ananas pur, le plein d'énergie!

L'ananas contient aussi de la broméline, une enzyme capable de digérer en quelques minutes plusieurs fois son poids en protéines. Après un repas comportant de la viande, prenez un verre de jus d'ananas et vous n'aurez aucune peine à digérer la viande.

Pour 1 verre

2 tranches épaisses d'ananas

1. Pelez l'ananas et coupez la chair en petits morceaux. Conservez la partie centrale.

2. Passez les morceaux dans la centrifugeuse et récoltez le jus.

Source de:

Ananas : vitamines B1, B6, énormément de vitamine C ; calcium, fer, sodium

Boisson à la pastèque

C'est la boisson de l'été par excellence. Et l'on peut en boire tout au long de la journée, même si l'on suit un régime.

Le jus de pastèque, mélangé en parts égales à du lait, donne une excellente huile de massage et convient très bien pour laver les cheveux.

Pour 1 verre
300 g de pastèque

1. Lavez la pastèque à fond en brossant la peau. Eliminez les pépins.

2. Divisez la pastèque en petits morceaux (avec la peau) et placez les fruits dans la centrifugeuse. Récoltez le jus et ajoutez éventuellement quelques glaçons.

Source de:

Pastèque : vitamines B1, B2, C ; calcium, fer

Boisson au pamplemousse

Cette boisson est très rafraîchissante et laisse un arrière-goût piquant-amer sur la langue. Elle apporte une bonne ration de vitamine C, qui vous protégera des attaques hivernales.

Si vous voulez en adoucir le goût, remplacez le pamplemousse jaune par un pamplemousse rose.

Pour 1 verre
1 pamplemousse

1. Pelez le pamplemousse en laissant le plus possible de blanc.

2. Divisez-le en quartiers et passez-le à la centrifugeuse.

Source de:

Pamplemousse : vitamines B1 et C ; calcium, fer, sodium et quinine

Boisson d'Eve

Ce n'est pas sans raison qu'Eve s'est laissée entraîner au paradis terrestre par une pomme! N'y a-t-il pas un dicton anglais qui dit "An apple a day keeps the doctor away" ? (une pomme chaque jour te garde en bonne santé).

Pour 1 verre
*4 pommes * 1/4 de citron * quelques glaçons*

1. Lavez les pommes et découpez-les en morceaux.

2. Pelez le citron en n'enlevant qu'une fine pelure (à moins de trouver des citrons de culture biologique, que vous pouvez consommer avec la peau).

3. Passez le citron et les pommes à la centrifugeuse.

4. Servez avec des glaçons.

Source de:

Citron :   vitamines B1, B6, beaucoup de vitamine C ; phosphore, peu de fer, potassium, assez riche en sodium, pectine

Pomme :   vitamines B2, B6, C ; calcium, fer, potassium, sodium, pectine

Boisson nord-sud

C'est en fait une association de nos pommes du nord et des citrons originaires du sud.

Pour 1 verre

*2 poires * 1 pomme * 1/4 de citron*
*des glaçons * quelques fleurs comestibles (facultatif)*

1. Lavez les poires et la pomme, et divisez-les en quartiers.

2. Pelez le 1/4 de citron.

3. Placez les fruits dans la centrifugeuse.

4. Ajoutez éventuellement des glaçons et décorez de quelques fleurs comestibles comme des violettes ou des pâquerettes.

Source de:

Citron : vitamines B1, B6, beaucoup de vitamine C ; phosphore, peu de fer, potassium, assez riche en sodium, pectine

Poire : vitamine B1, peu de vitamine C ; calcium, phosphore, fer, sodium, pectine

Pomme : vitamines B2, B6, C ; calcium, fer, potassium, sodium, pectine

Boisson pomme-gingembre

C'est ce que l'on nomme une boisson relevée. Non pas à cause de la pomme, mais à cause du goût assez piquant du gingembre.
Elle est efficace en cas de mal de gorge et de nausées. Et elle soulage les enfants qui souffrent du mal de voyage.

Pour 1 verre
*4 pommes * 2 à 3 cm de racine de gingembre*

1. Lavez les pommes et coupez-les en morceaux.

2. Mettez les morceaux de pommes et de gingembre dans la centrifugeuse en commençant et en terminant par les pommes.

Source de:

Gingembre :   vitamines B1, B2, C; calcium, fer, sodium, fer, sodium, zinc
Pomme :   vitamines B2, B6, C ; calcium, fer, potassium, sodium, pectine

Boisson réconfortante

Les cerises n'ont qu'une courte saison, pendant l'été. Profitez-en pour réaliser cette boisson pendant les journées chaudes.
Conseil : ajoutez de temps en temps une pomme, c'est délicieux!

Pour 1 verre
100 g de raisins noirs
1/2 tasse de cerises douces

1. Lavez les raisins et détachez-les de la grappe (sauf s'il s'agit de raisins de culture biologique).

2. Lavez les cerises et dénoyautez-les.

3. Placez les fruits dans la centrifugeuse et récoltez le jus.

Source de :

Cerise :	vitamines A, B6, C ; calcium, phosphore, fer, potassium, beaucoup de pectine
Raisin :	vitamines B1, B6 ; calcium, phosphore, fer, potassium, énormément de sodium

Caresse divine

Inimitable! Indescriptible!

Pour 1 verre

100 g de raisins blancs * 1/2 citron
1 tranche d'ananas assez épaisse
quelques raisins blancs épépinés comme garniture

1. Lavez les raisins et détachez-les de la grappe.

2. Pelez très finement le citron.

3. Pelez l'ananas et découpez la chair en morceaux.

4. Placez les fruits dans la centrifugeuse.

5. Servez en ajoutant quelques morceaux d'ananas et quelques raisins dans le verre.

Source de:

Ananas :	vitamines B1, B6, C ; calcium, fer, sodium
Citron :	vitamines B1, B6, C ; phosphore, peu de fer, potassium, assez bien de sodium, pectine
Raisin :	vitamines B1, B6 ; calcium, phosphore, fer, potassium, énormément de sodium

Caresse ensoleillée

Vous avez passé une mauvaise nuit? Vous avez devant vous une journée chargée? Cette boisson vous donnera l'énergie nécessaire pour surmonter tout cela.

Pour 1 verre
*1/4 de pamplemousse rose * 1 orange*
6 à 8 fraises

1. Pelez le pamplemousse et l'orange, en conservant la peau blanche. Divisez les fruits en morceaux.

2. Rincez les fraises sous l'eau courante et faites-les bien égoutter.

3. Placez les fruits dans la centrifugeuse.

Source de:

Fraise : vitamines B1, B2, B6, très riche en vitamine C ; calcium, phosphore, fer, sodium

Orange : vitamines A, B1, B2, B6, C (plus que dans le citron) ; riche en calcium, phosphore, fer, sodium

Pamplemousse : vitamines B1, riche en vitamine C ; calcium, fer, sodium, quinine

Cocktail à la mandarine

Vous avez besoin d'un petit remontant pendant la journée? Préparez-vous un cocktail de mandarines!

Pour 1 verre
*3 mandarines * 1 tranche épaisse d'ananas*
100 g de raisins noirs

1. Pelez les mandarines, en conservant la peau blanche. Divisez les fruits en quartiers.

2. Pelez l'ananas et découpez la chair en morceaux.

3. Rincez les raisins et détachez-les de la grappe à moins qu'ils ne soient de culture biologique.

4. Passez les fruits dans la centrifugeuse.

Source de:

Ananas : vitamines B1, B6, assez bien de vitamine C ; calcium, fer, sodium

Mandarine : vitamines A, B1, B2, B6, beaucoup de vitamine C ; calcium, phosphore, fer, potassium et assez riche en sodium

Raisin : vitamines B1, B6 ; calcium, phosphore, fer, potassium, énormément de sodium

Cocktail à la pêche

La pêche donne son goût particulier à ce cocktail. Profitez de l'été pour en boire, car la pêche est réellement un fruit du soleil.

Pour 1 verre
*1 pêche * 1 orange * 1/4 de verre d'eau pétillante*
2 tranches de lime, pour décorer

1. Lavez la pêche, coupez le fruit en deux et retirez le noyau. Divisez le fruit en morceaux.

2. Pelez l'orange et divisez-la en morceaux.

3. Placez les fruits dans la centrifugeuse et récoltez le jus.

4. Ajoutez de l'eau pétillante et décorez avec des tranches de lime (ou de citron).

Source de:

Orange : vitamines A, B1, B2, B6, C (plus que dans le ci-tron) ; riche en calcium, phosphore, fer, sodium

Pêche : vitamines A, B1, C ; calcium, phosphore, fer, beaucoup de sodium

Cocktail automnal

C'est en automne que les pommes et les poires sont les meilleures. Elles ont mûri tout l'été au soleil et n'ont pas encore séjourné dans le réfrigérateur. Profitez-en pour déguster un verre de jus avant de vous coucher, il vous procurera un sommeil réparateur.

Pour 1 verre
*2 ou 3 pommes * 1 poire*

1. Lavez les pommes et la poire, et découpez-les en petits morceaux.

2. Placez les fruits dans la centrifugeuse et récoltez le jus. Commencez et terminez avec les pommes.

——————————— *Source de:* ———————————

Poire : vitamine B1, peu de vitamine C ; calcium, phosphore, fer, sodium, pectine

Pomme : vitamines B2, B6, C ; calcium, fer, potassium, sodium, pectine

Cocktail d'abricots

Pour cette boisson typique d'arrière-saison, vous pouvez indifféremment employer des raisins noirs ou blancs. La couleur ne joue ici qu'un rôle esthétique.

Pour 1 verre
*4 abricots * 100 g de raisins * 1 poire*

1. Lavez les abricots, coupez-les en deux et retirez les pépins. Divisez les abricots en petits morceaux.

2. Lavez les raisins et détachez-les des tiges (sauf pour des raisins de culture biologique).

3. Lavez la poire et coupez-la en morceaux.

4. Placez les fruits dans la machine et récoltez le jus.

Source de:

Abricot :	vitamines A (beaucoup de carotène), B1, B2, B6, C ; phosphore, fer, potassium, sodium
Poire :	vitamine B1, peu de C, calcium, phosphore, fer, sodium, pectine
Raisin :	vitamine B1, peu de C ; calcium, phosphore, fer, potassium, beaucoup de sodium

Cocktail de fête

Ce cocktail est un grand classique, mais il reste populaire dans les fêtes. Surtout pour les invités qui ont compris que s'amuser ne va pas nécessairement de pair avec consommation d'alcool.

Pour 1 verre

*3 pommes douces * 1/4 de citron*
100 g de raisins blancs ou noirs

1. Découpez les pommes lavées en petits morceaux.

2. Pelez finement le citron.

3. Lavez les raisins et détachez-les de la grappe.

4. Passez les fruits à la centrifugeuse (en ajoutant le citron à la moitié) et récoltez le jus.

Source de:

Citron :	vitamines B1, B6, beaucoup de C ; phosphore, peu de fer, potassium, assez riche en sodium, pectine
Pomme :	vitamines B2, B6, C ; calcium, fer, potassium, sodium, pectine
Raisin :	vitamines B1, B6 ; calcium, phosphore, fer, potassium, beaucoup de sodium

33

Cocktail de fraises

Grâce aux fraises contenues dans cette préparation, ce jus purifie le sang. Idéal pour le nettoyage de printemps de l'organisme!

Si vous trouvez des fraises non traitées, vous pouvez les utiliser avec les feuilles et la queue. De cette manière, vous éviterez les problèmes d'allergie aux fraises.

Pour 1 verre
*3 pommes douces * 8 fraises*

1. Lavez les pommes et coupez-les en quartiers.

2. Rincez les fraises sous l'eau courante et laissez-les égoutter.

3. Placez-les dans la machine et récoltez le jus.

Source de:

Fraise :	vitamines B1, B2, B6, énormément de C; calcium, phosphore, fer et sodium
Pomme :	vitamines B2, B6, C ; calcium, fer, potassium, sodium, pectine

Cocktail de framboises

Il n'est pas toujours facile de trouver des framboises, le mieux est d'essayer de les cultiver soi-même, dans son jardin, et de les cueillir au fur et à mesure.

Pour 1 verre
*1 orange * 1/2 tasse de framboises*
1 tranche d'ananas bien épaisse

1. Pelez l'orange, tout en conservant la peau blanche. Divisez l'orange en quartiers.

2. Rincez les framboises sous l'eau courante et laissez-les égoutter.

3. Pelez l'ananas et découpez la chair en petits morceaux.

4. Passez les fruits à la centrifugeuse.

Source de:

Ananas :   vitamines B1, B6, beaucoup de vitamine C ; calcium, fer, sodium

Framboise :   vitamines B1, B2, B6, C ; calcium, phosphore, assez bien de fer, sodium

Orange :   vitamines A, B1, B2, B6, C (plus que dans le citron) ; beaucoup de calcium, phosphore, fer, sodium

35

Cocktail de fruits des bois

Juillet est la période des promenades en forêt, à la recherche des baies des bois. Elles sont délicieuses et très saines.

Pour 1 verre

*100 g de baies * 350 g de melon jaune (environ 1/4 de melon)
une petite grappe de raisins blancs*

1. Rincez les baies sous l'eau courante.

2. Brossez le melon énergiquement pour éliminer la saleté et retirez les pépins.

3. Lavez les raisins et détachez-les des tiges (sauf s'ils sont de culture biologique).

4. Passez les fruits à la centrifugeuse et récoltez le jus.

Source de:

Baies :   vitamines A et C ; calcium, beaucoup de fer

Melon :   vitamines B1, B2, B6, C ; calcium, fer, beaucoup de sodium

Raisin :   vitamines B1, B6 ; calcium, phosphore, fer, potassium, beaucoup de sodium

Cocktail de kiwis

Un jus riche en vitamines et en sels minéraux, qui vous apportera un plein d'énergie au petit déjeuner, par exemple.

Pour 1 verre
*3 kiwis * 1 orange*
100 g de raisins blancs

1. Lavez les raisins et détachez-les de la grappe (sauf s'ils proviennent d'une culture biologique).

2. Pelez les kiwis et coupez-les en morceaux.

3. Pelez l'orange (en conservant la peau blanche) et divisez-la en quartiers.

4. Placez les fruits dans la centrifugeuse et récoltez le jus.

Source de:

Kiwi :	vitamines A, B2, beaucoup de C, E ; assez bien de calcium, beaucoup de phosphore, fer, beaucoup de potassium, assez bien de sodium
Orange :	vitamines A, B1, B2, B6, C (plus que dans le citron) ; riche en calcium, phosphore, fer, sodium
Raisin :	vitamines B1, B6 ; calcium, phosphore, fer, potassium, énormément de sodium

Cocktail de mûres

Une promenade au bord des champs, en août, vous permettra de cueillir pas mal de mûres. Certaines sortes ont un goût amer, d'autres sont au contraire très sucrées.

Tout comme les abricots, les mûres contiennent beaucoup de carotène et elles sont très bonnes pour la santé des cheveux, de la peau et des ongles.

Pour 1 verre
*100 g de mûres * 5 abricots*

1. Rincez les mûres sous l'eau courante et vérifiez qu'elles ne contiennent pas de saleté ou de petites bestioles.

2. Lavez les abricots, coupez-les en deux et retirez le noyau. Coupez-les en morceaux.

3. Passez les fruits à la centrifugeuse et récoltez le jus.

Source de:

Abricot :	vitamines A (beaucoup de carotène), B1, B2, B6, C ; phosphore, potassium, sodium, fer
Mûres :	vitamines A (beaucoup de carotène), B1, B2, C ; beaucoup de calcium, phosphore, potassium, fer, sodium

Cocktail de prunes

Ce que l'on retient essentiellement des prunes, c'est qu'elles sont efficaces en cas de constipation. Le phosphore contenu également dans cette boisson permet aussi de combattre la fatigue : il suffit de boire ce cocktail pour se sentir tout de suite mieux.

Pour 1 verre
*3 prunes * 1 poire * 1 orange*

1. Lavez les prunes et retirez le noyau.

2. Lavez la poire et divisez-la en morceaux.

3. Pelez l'orange en laissant le plus de peau blanche possible. Divisez-la en quartiers.

4. Placez les fruits dans la centrifugeuse, en commençant par la poire et en terminant par l'orange.

Source de:

Orange :   vitamines A, B1, B2, B6, C (plus que dans le citron) ; riche en calcium, phosphore, fer, sodium

Poire :   vitamine B1, peu de vitamine C ; calcium, phosphore, fer, sodium, pectine

Prune :   vitamine A, beaucoup de B1, B2, B6, C ; calcium, phosphore, sodium

Cocktail de sels minéraux

Les kiwis contenus dans cette boisson apportent énormément de vitamines C et de sels minéraux. De tous les fruits, le kiwi est certainement l'un de ceux qui contient le plus de phosphore, excellent pour combattre la fatigue et régénérer les tissus.

Pour 1 verre
*2 pommes douces * 4 kiwis*

1. Lavez les pommes et découpez-les en morceaux.
2. Pelez les kiwis avec un couteau effilé et divisez-les en morceaux.
3. Placez les fruits dans la centrifugeuse et récoltez le jus.

Source de :

Kiwi :	vitamines A, B2, beaucoup de C, E ; riche en calcium, beaucoup de phosphore, fer, beaucoup de potassium et de sodium
Pomme :	vitamines B2, B6, C ; calcium, fer, potassium, sodium, pectine

Cocktail d'été

La lime donne à cette boisson une petite touche exotique, qui convient bien à cette saison.

Pour 1 verre
350 g de melon jaune (environ 1/4 de melon)
1/4 de lime

1. Brossez le melon énergiquement pour le nettoyer. Retirez les pépins et divisez le melon (avec la peau) en morceaux.

2. Pelez la lime (que vous pouvez éventuellement remplacer par une même quantité de citron, mais la touche exotique disparaîtra par la même occasion).

3. Placez les fruits dans la centrifugeuse et récoltez le jus.

Source de:

Lime :	vitamines B1, B6, beaucoup de vitamine C ; phosphore, pauvre en fer, potassium, assez bien de sodium, pectine
Melon :	vitamines B1, B2, B6, C ; calcium, fer, énormément de sodium

41

Cocktail hivernal

Ce cocktail vous apporte les vitamines C nécessaires pour éviter un refroidissement. Ou pour soulager les premiers symptômes lorsqu'ils apparaissent.

Pour 1 verre
1 tranche d'ananas bien épaisse
3 à 4 mandarines

1. Pelez l'ananas et découpez la chair en morceaux. Conservez la partie centrale dure.

2. Pelez les mandarines, mais laissez la peau blanche. Divisez-les ensuite en quartiers.

3. Placez les fruits dans la centrifugeuse et récoltez le jus.

Source de:

Ananas : vitamines B1, B6, assez bien de vitamine C ; calcium, fer, sodium

Mandarine : vitamines A, B1, B2, B6, beaucoup de vitamine C; riche en calcium, phosphore, fer, potassium, assez bien de sodium

Coup d'éclat

Vous voulez perdre quelques kilos? Buvez ce jus entre les repas, il calmera votre sensation de faim. Les pommes contiennent beaucoup de fructose alors que le pamplemousse calme et diminue l'envie de sucre. Ainsi vous ne serez pas tenté par les sucreries!

Pour 1 verre
*1/2 pamplemousse rose * 2 pommes*

1. Pelez le pamplemousse, mais conservez le plus de peau blanche possible.

2. Lavez les pommes et coupez-les en petits morceaux.

3. Placez les fruits dans la centrifugeuse.

Source de:

Pamplemousse : vitamines B1, riche en vitamine C ; calcium, fer, sodium, quinine

Pomme : vitamines B2, B6, C ; calcium, fer, potassium, sodium, pectine

Digestif tonique

Cette boisson est idéale après une longue journée de travail fatigante ou après un repas copieux. Elle vous redonnera du tonus en un clin d'œil.

Pour 1 verre
*1 orange * 1/4 de pamplemousse*
1/4 de citron

1. Pelez l'orange, le pamplemousse et le citron, mais conservez la peau blanche. Divisez les fruits en morceaux.

2. Placez les fruits dans la centrifugeuse et récoltez le jus.

_____ *Source de:* _____

Citron :   vitamines B1, B6, beaucoup de vitamine C ; phosphore, peu de fer, potassium, assez bien de sodium, pectine

Orange :   vitamines A, B1, B2, B6, C (plus que dans le citron) ; riche en calcium, phosphore, fer, sodium

Pamplemousse :   vitamines B1, riche en vitamine C ; calcium, fer, sodium, quinine

44

Drink au melon

Cette boisson très agréable étanche la soif et favorise la digestion. Si vous mélangez, en parts égales, du jus de melon avec du lait frais, vous obtenez un lait de toilette idéal pour les peaux sèches. Massez légèrement la peau avec cette lotion, laissez agir et essuyez ensuite.

Pour 1 verre
300 à 400 g de melon (environ 1/4 de melon)

1. Brossez énergiquement le melon pour éliminer les saletés, retirez ensuite les pépins.

2. Divisez le melon en petits morceaux et passez-les, avec la peau, à la centrifugeuse.

Source de:

Melon :   vitamines B1, B2, B6, C ; calcium, fer, énormément de sodium

Drink des amoureux

Cette boisson est tellement délicieuse et bonne pour la santé qu'elle ne se boit pas seul!

Pour 1 verre
*1 grosse tranche d'ananas * 6 fraises * 100 g de raisins blancs.*

1. Pelez l'ananas et coupez la chair en dés. Laissez la partie centrale.

2. Lavez les raisins et détachez-les des tiges (sauf s'ils sont de culture biologique).

3. Rincez les fraises sous l'eau courante et laissez-les égoutter.

4. Passez les fruits à la centrifugeuse.

―――――――――――― *Source de:* ――――――――――――

Ananas :   vitamines B1, B6, énormément de vitamine C ; calcium, fer, sodium

Fraise :   vitamines B1, B2, B6, énormément de vitamine C ; calcium, phosphore, fer, sodium

Raisin :   vitamines B1, B6 ; calcium, phosphore, fer, potassium, énormément de sodium

Drink doux-amer

Une boisson douce-amère, c'est l'idéal pour le petit déjeuner. Et en hiver, la combinaison de l'ananas et du pamplemousse renforce le système immunitaire.

Pour 1 verre
1 tranche épaisse d'ananas
1/2 pamplemousse rose

1. Pelez l'ananas et découpez la chair en petits morceaux. Laissez la partie centrale.
2. Pelez le pamplemousse, mais conservez la peau blanche. Divisez-le en petits morceaux.
3. Placez les fruits dans la centrifugeuse.

Source de:

Ananas :   vitamines B1, B6, assez bien de vitamine C ; calcium, fer, sodium

Pamplemousse :   vitamine B1, riche en vitamine C ; calcium, fer, sodium, quinine

Drink du soir

Le drink des soirs d'été... mais vous n'hésiterez pas non plus à le déguster le matin, pour rester en forme jusqu'au soir.

Pour 1 verre
*1 tranche épaisse d'ananas * 1 pomme douce * 6 fraises*

1. Pelez l'ananas et découpez la chair en petits morceaux, conservez la partie centrale.

2. Lavez la pomme et découpez-la en morceaux.

3. Rincez les fraises sous l'eau courante et laissez-les égoutter.

4. Passez les fruits à la centrifugeuse.

——————— *Source de:* ———————

Ananas :	vitamines B1, B6, beaucoup de vitamine C ; calcium, fer, sodium
Fraise :	vitamines B1, B2, B6, beaucoup de vitamine C ; calcium, phosphore, fer, sodium
Pomme :	vitamines B2, B6, C ; calcium, fer, potassium, sodium, pectine

Drink princier

Cette boisson est le compagnon idéal, quand on se repose, allongé dans un fauteuil de jardin, pour profiter du soir qui tombe sur une belle journée d'été!

Pour 1 verre
*1/4 de pamplemousse * 1 tranche épaisse d'ananas*
*1 pomme * 1 tranche de lime*

1. Pelez le pamplemousse et la lime, laissez la peau blanche.

2. Pelez l'ananas et coupez la chair en morceaux, en laissant la partie centrale.

3. Lavez la pomme et découpez-la en petits morceaux.

4. Passez les fruits à la centrifugeuse.

Source de:

Ananas :	vitamines B1, B6, assez bien de vitamine C ; calcium, fer, sodium
Lime :	vitamines B1, B6, beaucoup de vitamine C ; phosphore, pauvre en fer, potassium, assez riche en sodium, pectine
Pamplemousse :	vitamine B1, riche en vitamine C ; calcium, fer, sodium, quinine
Pomme :	vitamines B2, B6, C ; calcium, fer, potassium, sodium, pectine

Elixir de vie

Voici la boisson idéale si vous voulez donner un coup de jeune à votre peau. Savez-vous que le jus de fraises peut aussi être employé comme lotion pour le visage? Il resserre les pores de la peau, donne un teint frais et empêche la formation de rides.

Pour 1 verre
8 fraises
100 g de raisins blancs ou noirs

1. Rincez les fraises sous l'eau courante et laissez-les égoutter.

2. Lavez les raisins et détachez-les de la grappe (sauf si ce sont des raisins de culture biologique).

3. Placez les fruits dans la centrifugeuse et récoltez le jus.

Source de:

Fraise :   vitamines B1, B2, B6, très riche en vitamine C ; calcium, phosphore, fer, sodium

Raisin :   vitamines B1, B6 ; calcium, phosphore, fer, potassium, énormément de sodium

Jaune-rouge

Il est difficile de dire ce qui frappe le plus dans cette boisson : le goût délicieux ou la belle couleur!

Par sa grande richesse en vitamine C, elle convient particulièrement pour se prémunir des attaques virales.

Pour 1 verre
*1 tranche épaisse d'ananas * 8 fraises*

1. Pelez l'ananas en gardant la partie centrale et découpez la chair en morceaux.

2. Rincez les fraises à l'eau courante et laissez-les égoutter.

3. Passez les fruits à la centrifugeuse.

Source de:

Ananas :   vitamines B1, B6, assez bien de vitamine C , fer, sodium

Fraise :   vitamines B1, B2, B6, beaucoup de vitamine C ; calcium, phosphore, fer, sodium

Nectar divin

Une boisson agréable qui nous fait rêver à des contrées lointaines et donc réservée aux grandes occasions.

Pour 1 verre

*1 petite papaye * 1 petite nectarine*
*1 tranche épaisse d'ananas * 1 fruit de la passion*

1. Pelez l'ananas et la papaye, et découpez la chair en petits morceaux.

2. Lavez le fruit de la passion et la nectarine, et coupez-les en petits dés.

3. Placez les fruits dans la centrifugeuse et récoltez le jus.

Source de:

Ananas : vitamines B1, B6, assez bien de vitamine C ; calcium, fer, sodium

Fr. de la passion : vitamine C ; calcium, assez bien de fer

Nectarine : vitamines A, B1, B2, B6, C ; phosphore, fer, calcium

Papaye : vitamine A, beaucoup de vitamine C ; calcium, phosphore, fer, potassium, magnésium

Pétillant à la mangue

Pour se croire sous les tropiques ou tout simplement pour étancher la soif d'une journée d'été.

Pour 1 verre
*1 mangue * 1/4 de citron*
*1/2 verre d'eau pétillante * quelques glaçons*

1. Pelez la mangue et retirez les pépins, divisez la chair en morceaux.

2. Pelez le citron en conservant la peau blanche. Divisez-le en quartiers.

3. Placez les fruits dans la centrifugeuse et récoltez le jus.

4. Ajoutez l'eau pétillante et les glaçons, et décorez le verre avec une tranche de citron.

Source de :

Citron :	vitamines B1, B6, beaucoup de vitamine C ; phosphore, peu de fer, potassium, assez bien de sodium, pectine
Mangue :	vitamines A, B5, énormément de vitamine C ; calcium, fer, sodium

Pétillant de pêche

Les enfants aiment tout ce qui pétille. Et le parfum de pêche ne gâte rien!

Pour 1 verre
*1 pêche * 1 orange * 1/2 lime*
*1/4 tasse d'eau pétillante * quelques glaçons (facultatif)*

1. Lavez la pêche, coupez-la en deux et retirez le noyau. Divisez la pêche en morceaux.

2. Pelez l'orange et la lime, mais laissez bien la peau blanche. Divisez les fruits en morceaux.

3. Placez les fruits dans la centrifugeuse.

4. Ajoutez de l'eau pétillante et éventuellement quelques glaçons.

Source de:

Lime :	vitamines B1,B6, beaucoup de vitamine C ; phosphore, pauvre en fer, potassium, assez bien de sodium, pectine
Orange :	vitamines A, B1, B2, B6, C (plus que dans le citron) ; riche en calcium, phosphore, fer, sodium
Pêche :	vitamines A, B1, C ; calcium, phosphore, fer, beaucoup de sodium

Pétillant d'orange

C'est une boisson très rafraîchissante pour les chaudes journées d'été. Et en hiver, sa teneur en vitamine C ne pourra que vous faire du bien.

Pour 1 verre
*1 orange * 1/2 lime * 1/2 verre d'eau pétillante*
des rondelles d'orange rafraîchies pour décorer

1. Pelez l'orange, mais laissez le plus de peau blanche possible, divisez-la ensuite en quartiers.

2. Eliminez une fine couche de l'écorce de lime. Vous pouvez éventuellement remplacer la lime par un citron.

3. Passez les fruits à la centrifugeuse.

4. Versez le jus dans un verre, ajoutez l'eau pétillante et garnissez avec une rondelle d'orange.

Source de:

Lime : vitamines B1, B6, beaucoup de vitamine C ; phosphore, pauvre en fer, potassium, assez bien de sodium, pectine

Orange : vitamines A, B1, B2, B6, C (plus que dans le citron) ; riche en calcium, phosphore, fer, sodium

Petit en-cas

Cet en-cas est apprécié par les jeunes et les moins jeunes, car il est frais et étanche parfaitement la soif. Et il est agréable à tout moment!

Pour 1 verre
1 épaisse tranche d'ananas
*1 orange * 1/2 citron*

1. Pelez l'ananas et coupez la chair en petits dés.

2. Pelez l'orange et le citron, en laissant le plus de blanc possible. Détaillez-les ensuite en petits morceaux.

3. Placez les fruits dans la centrifugeuse.

Source de:

Ananas :	vitamines B1, B6, assez riche en vitamine C ; calcium, fer, sodium
Citron :	vitamines B1, B6, beaucoup de vitamine C ; phosphore, peu de fer, potassium, assez bien de sodium, pectine
Orange :	vitamines A, B1, B2, B6, C (plus que dans le citron) ; riche en calcium, phosphore, fer, sodium

Pomme-orange

C'est ce que l'on peut vraiment appeler un classique. On trouve ces ingrédients en toute saison et le jus en est toujours aussi délicieux. C'est surtout en hiver qu'il est nécessaire de commencer la journée par un verre de ce jus, ne fût-ce que pour la quantité de vitamine C qu'il contient et qui constitue un excellent moyen de défense contre les virus.

Pour 1 verre
*2 belles pommes * 1 orange*

1. Lavez les pommes et découpez-les en morceaux.

2. Pelez l'orange tout en conservant la peau blanche. Divisez l'orange en quartiers.

3. Passez les pommes et l'orange dans la centrifugeuse.

Source de:

Orange : vitamines A, B1, B2, B6, C (plus qu'un citron) ; beaucoup de calcium, de phosphore, de fer et de sodium

Pomme : vitamines B2, B6, C ; calcium, fer, potassium, sodium, pectine

Rayon de soleil

Ce jus vous apporte une caresse du soleil, en plein milieu de l'hiver. Prenez cette boisson de préférence le matin, pour bien commencer la journée. Les oranges et les ananas sont des armes efficaces pour lutter contre les virus et les refroidissements.

Pour 1 verre
1 tranche épaisse d'ananas
1 orange

1. Pelez l'ananas et découpez la chair en petits morceaux.

2. Pelez l'orange, en conservant la peau blanche. Divisez-la en quartiers.

3. Pressez les fruits dans la centrifugeuse.

-------------------- *Source de:* --------------------

Ananas :   vitamines B1, B6, assez riche en vitamine C ; calcium, fer, sodium

Orange :   vitamines A, B1, B2, B6, C (plus que dans le citron) ; riche en calcium, phosphore, fer, sodium

Solo d'oranges

Un classique riche en vitamine C, excellent pour commencer la journée, surtout en hiver. Mais ne dites pas trop vite: "Je vais acheter du jus d'oranges tout préparé dans le magasin". Du jus d'oranges frais n'a rien en commun avec celui que l'on achète en bouteille ou dans des cartons.

Saviez-vous qu'une orange contient plus de vitamine C qu'un citron?

Pour 1 verre
2 à 3 oranges

1. Pelez les oranges, en laissant le plus de peau blanche possible et divisez-les ensuite en quartiers.

2. Passez les morceaux à la centrifugeuse.

Source de:

Orange : vitamines A, B1, B2, B6, C (plus que dans le citron) ; riche en calcium, phosphore, fer, sodium

LES FRUITS DE A A Z

Vous avez vu dans ce livre que les jus de fruits apportaient de l'énergie et purifiaient le corps. Ils sont de plus très digestes et de goût agréable.

Il faut cependant faire une remarque concernant ces jus de fruits : ils contiennent beaucoup de sucres naturels et ne peuvent donc être bus qu'en quantité limitée par les personnes qui doivent surveiller leur consommation de sucre. Cela vaut surtout pour les gens qui souffrent de diabète, d'hypoglycémie, d'hyperglycémie, de... goutte. Il est nécessaire de s'en référer à l'avis du médecin.

ABRICOT

Les abricots existaient déjà à l'état sauvage, il y a 5 000 ans en Chine. Les légions romaines les apportèrent, il y a 2 000 ans, en Europe méridionale, où ils sont cultivés depuis.

* SAISON : juillet, août, septembre.
* ACHAT : choisissez des abricots fermes mais pas durs. La peau doit être dorée, avec une partie plus rosée.
* CONSERVATION : quelques jours à température ambiante ou dans le réfrigérateur.
* EMPLOI MEDICINAL : les abricots contiennent beaucoup de sels minéraux : potassium et magnésium qui donnent de l'énergie et de l'endurance ; également du fer qui est excellent pour le sang et du silicium qui rend la peau ferme et saine. Mais c'est surtout la haute teneur en carotène qui protège le corps du cancer qui fait de ce fruit un must.

ANANAS

C'est vraiment un enfant du soleil ; il est à la base de beaucoup de sortes de jus ; vous pouvez employer la partie centrale dans les jus.

* SAISON : on le trouve toute l'année ; la haute saison est le printemps.
* ACHAT : choisissez-le jaune doré, et un peu plus mou à la base.
* CONSERVATION : à température ambiante.
* EMPLOI MEDICINAL : mis à part les vitamines et les sels minéraux, l'ananas contient de la broméline, une enzyme qui améliore la digestion. Si vous avez l'intention de manger de la viande ou des œufs, buvez une demi-heure avant le repas, un verre de jus d'ananas ; l'enzyme attaquera les acides d'origine animale et de ce fait facilitera la digestion.

CERISE

Si nous pouvions manger chaque jour un grand plat de cerises, nous serions en bien meilleure santé. Mais malheureusement, on ne les trouve pas toute l'année. Et elles ne sont pas bon marché, à moins d'avoir un cerisier dans son jardin ; encore faut-il que les étourneaux vous en laissent quelques-unes!

* SAISON : juin et juillet
* ACHAT : achetez les cerises quand elles sont mûres, de préférence avec leur tige (celle-ci empêche qu'elles ne sèchent trop vite).
* CONSERVATION : 2 à 3 jours, dans le réfrigérateur.
* EMPLOI MEDICINAL : les cerises noires contiennent plus de fer, de magnésium et de potassium que les sortes claires, mais toutes sont une bonne source de silicium et de provitamines A (carotène).

Il est possible que les cerises noires préviennent la formation de tartre. Elles neutralisent l'acide urique dans le corps et sont donc excellentes pour des personnes qui souffrent de rhumatisme et de goutte.

CITRON

Les citrons, tout comme les limes ou limettes, sont des variétés de fruits subtropicaux. La lime a un goût particulier qui est très apprécié dans les boissons, mais vous pouvez très bien la remplacer par des citrons.

* SAISON : disponible toute l'année.
* ACHAT : choisissez des citrons avec une peau ferme, de préférence non traités car vous pourrez ainsi les employer avec la peau.
* CONSERVATION : au réfrigérateur.
* EMPLOI MEDICINAL : le jus de citron est riche en bioflavonoïde et joue un rôle important dans l'élimination des toxines. Le jus de citron est efficace contre la toux, les maux de gorge et tous les symptômes habituels de la grippe. A cause de son taux d'acidité élevé, le jus de citron doit être mélangé à d'autres jus ou à de l'eau.

FRAISE

Les fraises doivent goûter le soleil. Si elles ont mûri dans de bonnes conditions, elles contiennent des quantités maximales de substances nutritives. Si vous êtes allergique aux fraises, plongez-les, avant de les consommer, pendant quelques instants dans de l'eau bouillante.

* SAISON : fruit d'été par excellence, mais que l'on trouve dès février sur le marché.
* ACHAT : choisissez des fraises bien rouges, sans blessure et avec une couronne de verdure bien verte.

* CONSERVATION : lavées et séchées, elles se conservent encore quelques jours, dans un sachet de papier et placées au réfrigérateur.
* EMPLOI MEDICINAL : les fraises sont riches en vitamines et surtout en vitamine C! Elles sont efficaces dans le cas d'anémie, elles renforcent le système nerveux et entretiennent les glandes. Elles contiennent un acide qui neutralise les effets cancérigènes de la fumée de cigarette.

FRAMBOISE

Il est difficile de trouver des framboises fraîches, bien qu'elles soient faciles à cultiver. Il faut placer les plants de framboisier à 60 cm l'un de l'autre et les soutenir avec des petits tuteurs.

* SAISON : juin et juillet
* ACHAT : choisissez des framboises entières et sans trace de moisissure.
* CONSERVATION : à consommer immédiatement.
* EMPLOI MEDICINAL : les framboises ont une action diurétique et sont efficaces contre la goutte et le rhumatisme. Elles sont riches en fructose, ce qui rend le jus très savoureux.

KIWI

Le kiwi est originaire de Nouvelle-Zélande et a reçu le nom de l'oiseau national, le kiwi.

* SAISON : disponible toute l'année. La haute saison se situe d'octobre à décembre.
* ACHAT : choisissez des fruits qui ne sont ni trop mous, ni trop durs.
* CONSERVATION : au réfrigérateur, ils conservent au moins pendant 1 semaine.
* EMPLOI MEDICINAL : les kiwis sont riches en vitamine C et en

sels minéraux comme le calcium, le phosphore et le potassium. Si l'on veut vivre sainement, il faut manger beaucoup de kiwis. Ou les boire!

MANDARINE

Les mandarines contiennent plus de sucre et moins d'acide que les oranges ; elles sont aussi une excellente source de vitamine B. Il ne faut pas nécessairement en extraire le jus ; en mangeant 1 ou 2 mandarines par jour, vous resterez en pleine forme.

* SAISON : décembre et janvier.
* ACHAT : attention aux mandarines qui présentent des endroits plus mous sur la peau.
* CONSERVATION : dans le réfrigérateur ou à température ambiante, mais pas plus d'une semaine.
* EMPLOI MEDICINAL : tout comme les oranges, mais les mandarines sont peut-être encore plus saines et pour beaucoup certainement plus faciles à digérer.

MANGUE

Les mangues doivent être mangées juste à point, sinon leur goût ressemble vaguement à celui de la térébenthine.

* SAISON : de décembre à janvier, mais actuellement pratiquement toute l'année
* ACHAT : choisissez des mangues qui ne sont pas trop vertes, souples sous le doigt et qui sentent bon.
* CONSERVATION : comme la plupart des fruits tropicaux, il vaut mieux conserver les mangues à température ambiante.
* EMPLOI MEDICINAL : en plus de son goût délicieux, elle apporte une bonne ration de carotène et de vitamine C. L'acide pantothénique (vitamine B5) régularise le métabolisme des hydrates de carbone et des acides aminés.

MELON

Tous les melons sans exception, donc aussi les pastèques, donnent un jus délicieux, mais doivent être travaillés avec la peau.

* SAISON : fruit type de l'été, mais que l'on trouve toute l'année.
* ACHAT : essayez d'appuyer un peu sur le melon au pédoncule, et sentez-le ensuite ; il faut que l'odeur soit bien nette.
* CONSERVATION : les melons mûrs doivent aller au réfrigérateur, ceux qui ne sont pas encore mûrs peuvent rester à température ambiante.
* EMPLOI MEDICINAL : les melons favorisent la production d'urine, ce qu'il est bon de savoir pour les personnes qui ont des problèmes rénaux. Ils permettent aussi d'éliminer les toxines.

ORANGE

C'est pour beaucoup d'entre nous l'agrume préféré mais bien peu en connaissent le vrai goût que l'on ne trouve que dans le jus pur fraîchement préparé.

* SAISON : disponible toute l'année. La haute saison va de décembre à mars.
* ACHAT : choisissez des fruits fermes, avec une peau égale.
* CONSERVATION : dans le réfrigérateur.
* EMPLOI MEDICINAL : le jus sucré est riche en vitamines du complexe B et C, en bioflavonoïdes, phosphore, zinc et naturellement en sucre. Le jus d'orange pur a un équilibre nutritionnel parfait et combat efficacement les refroidissements. Il est également conseillé pour les personnes qui ont une faiblesse cardiaque ou qui veulent fortifier leurs vaisseaux sanguins.

PAMPLEMOUSSE

Les pamplemousses roses sont plus doux que les pamplemousses jaunes, mais leur teneur en vitamine C et en sels minéraux est identique.

* SAISON : disponible toute l'année
* ACHAT : choisissez des fruits avec une pelure uniforme et ferme.
* CONSERVATION : dans le réfrigérateur.
* EMPLOI MEDICINAL : le pamplemousse stimule la digestion, combat les refroidissements et empêche les saignements des gencives. Il est possible qu'il soit efficace dans la lutte contre le cancer.

PAPAYE

La papaye est le fruit du papayer ou arbre à melon qui est originaire du Mexique. La peau en est jaune-vert et la chair orangée.

* SAISON : s'étend de novembre à mars.
* ACHAT : prenez des fruits plus ou moins mûrs, avec une peau assez uniforme et pas trop verte.
* CONSERVATION : à température ambiante, pour terminer la maturation.
* EMPLOI MEDICINAL : la papaye contient beaucoup de vitamine C et on peut l'employer comme un agrume. Tout comme l'ananas, elle contient une enzyme qui favorise la digestion. Il faut enlever les pépins car ils ont un effet très laxatif.

PECHE

La pêche qui est apparentée à l'amande est originaire de Chine. On la cultive dans nos régions tempérées, mais elle est moins bonne que ses sœurs d'Italie ou d'Espagne.

* SAISON : juillet, août, septembre.
* ACHAT : choisissez des fruits avec une peau égale et belle. Ils ne peuvent être durs mais doivent sentir bon.
* CONSERVATION : à température ambiante.
* EMPLOI MEDICINAL : la pêche a un effet laxatif, fait baisser la température et purifie la peau (avoir une peau de pêche!).

POIRE

Les poires font partie des fruits les plus savoureux. Rien ne peut égaler la saveur d'une poire bien mûre.
Attention : les poires ont tendance à boucher la centrifugeuse. Pour éviter cet inconvénient, il suffit de commencer et de terminer l'opération avec un fruit plus ferme, une pomme par exemple.

* ACHAT : c'est un fruit d'automne, mais on en trouve jusqu'en avril.
* ACHAT : prenez des fruits fermes, sans coups.
* CONSERVATION : à température ambiante pour les poires que vous désirez manger, dans le réfrigérateur si vous voulez en faire du jus.
* EMPLOI MEDICINAL : les poires sont encore plus riches en pectine que les pommes, ce qui est une aide efficace lors de digestions laborieuses ou d'empoisonnement.

POMME

L'on attribue depuis des siècles des vertus rajeunissantes aux pommes. Il existait déjà 30 sortes de pommes différentes dans la Rome antique.
Actuellement, on en dénombre plus de 1 400. Les pommes qui conviennent très bien pour du jus sont les Golden Delicious, les Jonagold, les Jonathan et les Granny Smith. Il faut néanmoins retirer le pédoncule et les pépins avant d'en faire du jus, car ils contiennent des substances difficiles à digérer.

* SAISON : on en trouve vraiment toute l'année. Les pommes fraîches (qui n'ont pas été conservées au réfrigérateur) sont disponibles de la fin de l'été jusque tard en automne.
* ACHAT : choisissez-les bien fermes, sans taches ou talures. Les pommes tendres ou farineuses donnent moins de jus.
* CONSERVATION : lavez les pommes à l'eau froide, séchez-les bien et placez-les au réfrigérateur.
* EMPLOI MEDICINAL : les pommes contiennent beaucoup de pectine, qui accélère l'élimination des toxines contenues dans les intestins et stimule en même temps l'activité de l'intestin et de l'estomac.

Le potassium et le phosphore des pommes stimulent l'activité rénale tandis que les sucres naturels produisent des acides qui stimulent la salive et la digestion.

RAISIN

Le vin est un jus de raisin excellent, mais le jus de raisin est aussi une boisson divine. Et certainement plus saine!

Attention : les raisins contiennent beaucoup de sucre et ne sont pas recommandés aux personnes qui souffrent d'un diabète ou qui connaissent d'autres problèmes en rapport avec l'assimilation du sucre dans le sang.

* SAISON : de juillet à septembre
* ACHAT : achetez de préférence des raisins de culture biologique. Demandez à les goûter. Les raisins sont mûrs quand leur goût est sucré. Les raisins frais ont une tige verte.
* CONSERVATION : une semaine au réfrigérateur.
* EMPLOI MEDICINAL : les raisins font baisser le taux d'acidité dans le corps et stimulent les fonctions rénales et cardiaques. Ils améliorent la digestion, purifient le foie et éliminent l'acide urique. Ils ont un effet calmant sur le système nerveux et renforcent la musculature.

INDEX DES RECETTES

Cet index reprend par ordre alphabétique les différentes recettes détaillées dans ce livre.

A côté de chaque recette, vous trouverez les fruits qui la composent. Vérifiez ce que vous avez à la maison comme fruits et choisissez le jus que vous allez réaliser en fonction des ingrédients disponibles.

INDEX